D1094506

Binette Schroeder

Florián y el Tractor Max

Editorial Lumen

Título original: *Florian und Traktor Max*
Traducción: Humpty Dumpty

Publicado por Editorial Lumen, S. A.,
Ramón Miquel y Planas, 10 - 08034 Barcelona.

Primera edición: 1972
Segunda edición: 1981
Tercera edición: 1986

ISBN: 84-264-3541-6
Depósito legal: B. 24399-1986
Impreso en: Grafos S. A., Arte sobre papel.
Paseo Carlos I, 157 - 08013 Barcelona
Printed in Spain

Para Botho

Lejos de la ciudad, en un lugar donde el suelo es tan llano como un plato, Claas Claasen y su viejo caballo tordo aran el campo.

– ¡Arre, Florián! – grita Claas Claasen.

Y Florián tira con todas sus fuerzas, y Claas Claasen empuja el arado, y Florián resopla, y Claas Claasen resopla también, y los dos se afanan sobre el campo, y el arado abre surco tras surco. Pero, cuando llega la noche, ni siquiera han arado medio campo.

– ¡Sí, sí, Florián! –suspira Claas Claasen–, nos hemos vuelto viejos. Ya no tenemos la fuerza de otros tiempos. ¡Pero mañana llega el Tractor Max! El sí es joven, y fuerte, y todo será distinto. Max trabajará por nosotros, y tú podrás retozar el día entero por el campo, y comer hierbas y trébol. ¡Será una vida estupenda!

Al oír estas palabras, Florián suelta un relincho, y se pone a saltar por el establo como si fuera un potrillo. Y, cuando más tarde queda dormido, sueña en un tractor de color rojo, que se llama Max y que es como un amigo grande y bondadoso.

A la mañana siguiente, muy temprano, apenas si son las cinco, se oye en el patio un petardeo, un rugir, un crepitar, y todos los animales corren hacia allí.

¡Allí está el Tractor Max! ¡Es estupendo!

Es rojo. Es grande. Suelta unas espesas nubes de humo. Y todos los animales lo rodean mudos de asombro. Pero el Tractor Max les da la espalda. Avanza petardeando por el patio, sale al campo y trabaja durante todo el día. Ara tres campos enormes y un campito pequeño como regalo.

Florián está tan excitado que no puede probar bocado. Con las orejas bien abiertas, espera durante todo el día el regreso de Max. ¡Y por fin llega Max! Zumba a lo largo del patio, da un rodeo, trepida por la puerta del granero, chirría junto a Florián, le lanza una negra nube de gasolina en pleno hocico, petardea hasta un rincón, y queda callado. Tan callado que puede oírse el crujido de las ratas al deslizarse sobre el heno. Florián relincha, sacude las crines, corre hacia el tractor, lo empuja con su hocico suave. Pero el Tractor Max se pone de cara a la pared. Entonces Florián se dirige despacito a su sitio y espera la noche siguiente.

Pero a la otra noche ocurre exactamente lo mismo. El Tractor Max entra petardeando en el granero y se pone de cara a la pared. Sencillamente, no quiere saber nada de Florián. Y entonces el caballo se siente triste. Ya no suelta ningún relincho. Se queda muy quieto en su rincón, con la cabeza gacha.

Pasan los días, y Florián mira trabajar a Max. Pero está muy triste. La hierba fresca no le sabe a nada, y el trébol tampoco.

– ¡No te preocupes! –le dice Claas Claasen una y otra vez–. ¡Lo mejor es que no vuelvas a pensar en él!

Le rasca detrás de las orejas, le da unos golpecitos cariñosos en el cuello y a veces se saca un terrón de azúcar del bolsillo de los pantalones. Esto ayuda un poquito.

Pronto termina la primavera. Llega el verano y pasa también. Cada día hace más frío, y Florián vuelve a quedarse en el establo. Y cuando llega el invierno y la nieve lo cubre todo y el sol tiene un brillo tan pálido como el de la luna, apenas si entra luz en el granero. Y mientras el Tractor Max trabaja en el campo, mientras va hasta el bosque y vuelve cargado de troncos, y Claas Claasen va a dar de comer a los animalitos salvajes, los días se le hacen muy largos a Florián. Pasa las horas muertas en el establo, esperando a Max. Y al atardecer, cuando el Tractor Max pasa por su lado y le echa en pleno hocico las últimas nubes de gasolina, Florián se siente más solo que nunca. Ni siquiera Claas Claasen es ya capaz de consolarle.

Y un día, el veintiuno de marzo, empieza la primavera. Pero no es una primavera bonita. Llueve sin cesar. Día tras día. La tierra se pone cenagosa y blanda. El Tractor Max ya no puede arar. Chirría y petardea a la puerta del granero y espera que salga el sol. ¡Y llueve durante treinta y siete días! Pero después sopla el Viento del Oeste y abre unos grandes agujeros azules en el cielo gris. El sol brilla ahora a través de esos boquetes, y sólo aquí y allá caen todavía algunas gotas rezagadas.

–TU TU TU –truena el Tractor Max con su bocina y crepita por el patio.

– ¡Alto! –grita Claas Claasen–. ¡Detente, Max! ¡No salgas al campo! ¡Está todavía demasiado mojado!

Pero el Tractor Max pasa zumbando por su lado, camino de los campos.

Y Max se pone a arar. La tierra está mojada y pesa mucho. Se pega en grandes grumos a las ruedas. El Tractor Max resopla. Apenas si consigue avanzar. Y de repente queda atascado. Pone la primera marcha. Hace girar las ruedas, aprisa, más aprisa, cada vez más aprisa. Los grumos de tierra saltan por el aire, el motor ruge, pero el Tractor Max sigue atascado. Pone marcha atrás. Ruge, crepita, petardea, pero las ruedas han dejado de dar vueltas.

Y llega una nube oscura de lluvia, y la lluvia cae sobre el campo, y el agua se desliza dentro del motor, y el motor queda parado. Está tan oscuro como si fuera de noche, y el Tractor Max se hunde profundamente, cada vez más profundamente, en el campo. Hasta por encima de la barriga.

Claas Claasen está sentado en una habitación calentita, delante de su plato favorito: patatas, zanahorias y guisantes. El gato Mi está junto a él. Ronronea y se lame el hocico mojado de leche. De repente el gato Mi pone muy tiesas las orejas, y a Claas Claasen se le cae el tenedor de puro susto.

— ¡Este relincho es de Florián!

Y corren al patio. Allí está Florián, muy excitado y con las orejas bien abiertas. Claas Claasen abre también las suyas cuanto puede y escucha. Y lejos, muy lejos en los campos, oye el débil ruido de una bocina…

— ¡Caramba! –grita Claas Claasen, y deja escapar un silbido entre los dientes–. ¡Es Max! ¡Seguro que ha quedado atascado!

Corre al granero y vuelve enseguida con una cuerda muy larga.

— ¡En marcha!

Florián relincha, el perro Leo suelta un ladrido, y todos vuelan hacia el campo.

Corren a todo correr, con todas sus fuerzas. Corren a través de las colinas, hundiéndose en los charcos, dejando atrás los bosques de álamos, salvando vallas y fosos. Hasta que llegan al último campo. Y allí está Max. Cada vez más hundido en el cieno, y emitiendo unos bocinazos que casi no se oyen ya de tan débiles. Florián le da unos golpecitos suaves con el hocico. Relincha y resopla. Claas Claasen murmura «¡Caramba!» y se rasca preocupado una oreja.

– ¡Esperemos que esto funcione! –suspira.

Primero desengancha el arado. Después ata un extremo de la cuerda, con un nudo muy grueso, al Tractor Max. Y el otro extremo lo ata con otro nudo a Florián.

Y entonces Florián tira AHH HOP
AHH HOP
AHH HOP y...

... PLOPPPPPPPPP.

¡Florián lo ha conseguido! ¡Max vuelve a tener asentadas sus cuatro ruedas en tierra firme! Está calado hasta los huesos, está sucísimo y una tos ronca surge de su tubo de escape.

– ¡Caramba! –resopla Claas Claasen, y seca cuidadosamente las bujías.

Pero Max sigue tosiendo.

Claas Claasen medita un poquito. Busca en los bolsillos del pantalón, saca el limpiador de la pipa y hurga con él en el interior del tubo de escape.

– Bl... Bl... blubb –hace Max, y saca un gran sorbo de agua por el tubo.

Inmediatamente el motor se siente aliviado. Florián empuja a Max con la nariz. Después lanza un relincho y se aleja al galope. Max traquetea con cuidado tras él. Claas Claasen llena contento su pipa. Y alrededor de Florián y del Tractor Max y de Claas Claasen, salta el perro Leo, que no para de ladrar.

Muy tarde por la noche, cuando la luna brilla ya en lo alto del cielo, Claas Claasen se mete en la cama. Pero no puede conciliar el sueño. Se vuelve a levantar, enciende la pipa y se dirige de puntillas hacia el establo. Cuando ve lo que ocurre en el interior, sonríe satisfecho. Max y Florián se han hecho amigos. Claas Claasen vuelve silenciosamente a la casa.

El sol brilla con fuerza. El trigo está a punto. Vienen los vecinos y ayudan a recoger la cosecha. Siegan los campos, y el Tractor Max transporta el grano hasta el granero para la trilla. Florián le acompaña algunas veces.

Y en otoño recogen las manzanas y las ciruelas, y Florián cabriolea feliz por el camino. Cuando ve a Max, lanza un relincho. Y Max le contesta con su bocina:

– ¡TU TU TU!

Y los dos son muy felices.